别让伤害
靠近你

教孩子辨别、远离
隐性伤害

不！我不喜欢被推搡

遇到肢体霸凌怎么办？

[美] 梅丽莎·希金斯 著　[美] 西蒙娜·希恩 绘　杨惠 译

中信出版集团 | 北京

写在前面的话

霸凌是很多儿童都曾经历的严重问题。肢体霸凌包括打人、使绊儿、踢踹、吐口水和揪头发等；也包括人身威胁和损坏他人财物。受到肢体霸凌的儿童会感到焦虑、抑郁，面临健康和社交问题。要制止霸凌，成人和儿童都要对霸凌有清楚的认识，并及时合理地去应对。

本书既适合孩子自己阅读，也适合家长读给孩子听。阅读本书时，问问孩子是否曾目睹、遭受或实施过肢体霸凌，并鼓励孩子说出自己类似的经历，进而以本书内容为引子，去交流和解决问题。比如问问孩子：对于贝利的困境和他得到的建议，你觉得怎么样？你会如何应对霸凌呢？

大多数时候，我都很喜欢上学。我的老师西姆斯太太和蔼可亲，班里同学也大多待人友好。

往常，我喜欢上午的课，因为有数学，那是我最感兴趣的科目。

可是最近这几周，我上课老走神儿。

午饭铃一响，大家都走了。

我待在座位上，紧张得胃都打了结。

“贝利？”西姆斯太太见我还在教室，问道，“听见铃声了吗？”

我讨厌午餐时间，一点儿也不想去吃饭，但我还是说“听见了”，然后拖着步子慢慢挪过走廊。

这时，脚步声从身后传来，我不由得屏住呼吸。

“嘿，傻子，”金从后面推了我一把，“你迟到啦。”

我继续走，但愿他能放过我。

突然，金的一个朋友挡住我，我只好停下来。

我开始哭，虽然我也不想，可我好害怕。

金紧紧扭着我的胳膊，把我转向他。

“怎么了，宝贝？”他说，“想妈妈啦？”

肢体霸凌多发生在缺少监管的地方，比如厕所、走廊、操场或校车上。

“放手！”我叫道，“走开！”我使劲想挣脱出来，可金一拳打在我肚子上，还抢了我的饭盒。

我摔倒在地，疼得直喘气，哭得更厉害了。

剩下的午餐时间里，我都在长椅上独自坐着。

肢体霸凌包括打人、推搡、踢踹、使绊儿、扇耳光、吐口水和揪头发等，还包括人身威胁和损坏他人财物。

等到家时，我已经饿了一整天了。我狼吞虎咽地吃了一个苹果和几块饼干。

“嘿，留点儿肚子吃晚饭啊，”妈妈说，“你没吃午饭吗？”

“没有，我……我把饭盒弄丢了。”我说。

洗澡时，我尽量遮挡住受伤的胳膊，不让妈妈看到。

那天晚上，妈妈陪我坐在房间里。

“贝利，”她说，“妈妈发现你胳膊上有瘀青，而且，这不是你第一次弄丢午餐盒了。妈妈像你这么大的时候，有小朋友老是对我推推搡搡。你遇到过这样的事吗？”

我感到难为情。妈妈会怪我任人欺负吗？她会相信我吗？我不想告状，万一金发现了，会不会对我更凶呢？

但我真的需要帮助，所以我告诉了妈妈。

妈妈认真听了。然后，她让我详细说说金到底做了什么。我努力回想，告诉她金是怎么拧我胳膊、抢我饭盒的。

将霸凌行为“告诉”大人不等于“告状”。“告诉”是为了保护自己或别人，而“告状”是为了给别人找麻烦。

“我很高兴你告诉了我，”妈妈说，“这不是你的错，欺负人是不对的。明天我会找你的老师谈谈，看看怎么办。还有，我知道你应该怎么做来保护自己，你想听吗？”

我点点头。

妈妈告诉我，与愁眉苦脸的孩子相比，自信的孩子更不容易受到欺负。她说如果我抬头挺胸，手臂下垂，看起来会更自信。她还告诉我不要哭。

“我知道你哭是因为害怕，叫喊是因为生气，但那正是金想看到的。你越是难过，金越会来劲。”

还手似乎是对付肢体霸凌的好办法，但那会使自己陷入和对方同样的麻烦，而且还击之后，反而可能会被欺负得更厉害。

超级
浣
M R
M R

妈妈说的那些，我不知道我能不能做到。

“贝利，你很聪明，”妈妈说，“你肯定也有保护自己的办法，对吗？”

想到金每次都挑我独自一人时来找碴儿，我说：“我觉得我可以和别的同学一起走，或者待在老师附近。”

“好主意！”妈妈亲了亲我，跟我道晚安，“记住，我爱你，我一直在你身边，你是我的小英雄。”

“像超级浣熊一样？”我问道。

她笑着说：“比超级浣熊还要棒。”

直视对方的眼睛是表现自信的一种方法。不过有些人觉得看对方的鼻梁会比较自在。

第二天在学校，我还是好紧张，还没下课我就想哭，我能像妈妈教我的那样去做吗？

这时，我脑海里浮现出超级浣熊的身影，他力大无比，无所不能！我想象自己就是超级浣熊，这样我就不那么害怕了。

午餐铃一响，我就赶紧跳起来跟其他同学一起走向走廊。这回，金没来找我麻烦。午餐的味道好极了！

霸凌者通常会在没有大人的地方找碴儿，因此，在操场和餐厅这类场所待在老师附近，在校车上坐在司机旁边，会比较安全。

那天下午，我的老师西姆斯太太在操场上找到了我。

“你妈妈给我打电话了，”她说，“贝利，我不知道你挨了欺负，要是再有这样的事情，我希望你能马上告诉我。还有，要是你愿意，午餐可以提前去吃。而且我向你保证，餐厅和操场上的老师会格外留意你。”

西姆斯太太建议我见见校辅导员琼斯先生，她还说有朋友的孩子会比没有朋友的孩子更不容易受到欺负。

琼斯先生教我
如何与更多的人成
为朋友。

妈妈也更关注我在学校的情况，她常问我现在的情况怎么样，是否还有人欺负我。西姆斯太太说她会在课上讲讲霸凌的问题。

我庆幸我把这一切告诉了妈妈。有这么多大人和朋友帮助我，我不会再让金那样的孩子欺负我了。

关于肢体霸凌你必须知道的事

- 肢体霸凌多发生在缺少监管的地方，比如厕所、走廊、操场或校车上。
- 肢体霸凌包括打人、推搡、踢踹、使绊儿、扇耳光、吐口水和揪头发等，还包括人身威胁和损坏他人财物。
- 将霸凌行为“告诉”大人不等于“告状”。“告诉”是为了保护自己或别人，而“告状”是为了给别人找麻烦。
- 还手似乎是对付肢体霸凌的好办法，但那会使自己陷入和对方同样的麻烦，而且还击之后，反而可能会被欺负得更厉害。
- 直视对方的眼睛是表现自信的一种方法。不过有些人觉得看对方的鼻梁会比较自在。
- 霸凌者通常会在没有大人的地方找碴儿，因此，在操场和餐厅这类场所待在老师附近，在校车上坐在司机旁边，会比较安全。

亲爱的小朋友，如果你正在遭遇肢体霸凌，一定要及时告诉爸爸妈妈。爸爸妈妈是最爱你的人，他们会全力帮助你，做你最温暖的港湾和最坚强的后盾。

图书在版编目（CIP）数据

不！我不喜欢被推搡：遇到肢体霸凌怎么办？/（美）梅丽莎·希金斯著；（美）西蒙娜·希恩绘；杨惠译. -- 北京：中信出版社，2018.8（2024.4 重印）
（别让伤害靠近你：教孩子辨别、远离隐性伤害）
书名原文：Pushing Isn't Funny: What to Do About Physical Bullying
ISBN 978-7-5086-8569-4

Ⅰ. ①不… Ⅱ. ①梅… ②西… ③杨… Ⅲ. ①儿童故事－图画故事－美国－现代 Ⅳ. ① I712.85

中国版本图书馆 CIP 数据核字（2018）第 021020 号

不！我不喜欢被推搡：遇到肢体霸凌怎么办？

（别让伤害靠近你：教孩子辨别、远离隐性伤害）

著　　者：[美] 梅丽莎·希金斯
绘　　者：[美] 西蒙娜·希恩
译　　者：杨　惠
出版发行：中信出版集团股份有限公司
（北京市朝阳区东三环北路27号嘉铭中心　邮编　100020）
承 印 者：当纳利（广东）印务有限公司

开　　本：500mm × 965mm　1/16　　印　　张：2　　字　　数：30千字
版　　次：2018年8月第1版　　印　　次：2024年4月第19次印刷
京权图字：01-2016-3282
书　　号：ISBN 978-7-5086-8569-4
定　　价：35.00元

服务热线：400-600-8099
投稿邮箱：author@citicpub.com

出　　品：中信儿童书店
图书策划：小飞马童书
策划编辑：白雪
责任编辑：温慧
营　　销：中信童书营销中心
封面设计：韩莹莹　谢佳静
内文排版：李艳芝